Katarzyna Małkowska

# Uczta u Wierzynka

## A Feast at Wierzynek's

## Gastmahl bei Wierzynek

Ilustracje: Stanisław Dzięcioł

Tłumaczenie: Wojciech Graniczewski i Ramon Shindler, Tadeusz Zatorski

Wydawnictwo

Dawno, dawno temu, gdy naszym krajem władał król Kazimierz III, zwany także Wielkim, wybuchł w Europie konflikt nie lada. Ludwik, władca Węgier, Rudolf, książę austriacki oraz sam cesarz, a zarazem król czeski Karol IV spierali się od czasu jakiegoś. Kraje trzech władców graniczyły bowiem ze sobą, a każdy z tamtejszych panów terytorium swoje powiększyć pragnął, tak by potęgę i sławę na cały świat zdobyć. Wojną srogą i krwawą swary te groziły, nijak bowiem do porozumienia władcy dojść nie mogli.

A long, long time ago, when Poland was ruled by King Casimir III also known as Casimir the Great a terrible conflict erupted in Europe. The ruler of Hungary, Ludwig, the Prince of Austria, Rudolf and Charles IV, Emperor and at the same time King of Bohemia were involved in a long-lasting dispute. The countries governed by these three rulers bordered on each other and each of them wanted to extend their territory in order to gain power and fame the world over. The threat of war, severe and bloody, hung over them as their rulers could not find a way to reach an agreement.

Vor vielen, vielen Jahren, als Kasimir III., genannt auch der Große, unser Land regierte, entbrannte in Europa eine heftige Auseinandersetzung. Ludwig, der König von Ungarn, Rudolf, der Fürst von Österreich sowie der Kaiser selbst und zugleich König von Böhmen, Karl IV., führten schon seit langem einen verbissenen Streit. Die Länder jener drei Herrscher grenzten aneinander und jeder von ihnen begehrte, sein Territorium zu erweitern, um so seine Macht zu stärken und noch mehr Ruhm zu erlangen. Ein furchtbarer, blutiger Krieg stand vor der Tür, denn die drei Regenten konnten keine Verständigung erzielen.

3

Martwiła się cała Europa i z niepokojem patrzyła na poczynania coraz bardziej zacietrzewionych władców. Najbardziej niepokoił się jednak sam papież, cały świat bowiem ku niemu zwracał spojrzenia, żądając sposobu na rozwiązanie sporu. Dwór papieski nie chciał interweniować bezpośrednio, pragnął bowiem autorytet Stolicy Apostolskiej pozostawić wolnym od świeckich zatargów. Papież długo dumał i rozważał, kim by się w tej misji posłużyć. Wybór padł wreszcie na króla Polski Kazimierza III, który przydomek „Wielki" swej mądrości i sprawiedliwości zawdzięczał.

All Europe was concerned and looked in dismay at the doings of those more and more obstinate rulers. And the one who was worried more than anyone else was the Pope as the whole world looked towards him in search of a solution to the dispute. The papal court did not want to intervene directly as it intended to keep the authority of the apostolic capital free from lay conflicts. The Pope pondered the matter for a very long time uncertain whom to entrust with the mission of reconciliation. Finally he chose the king of Poland, Casimir the Great, who owed his nickname to his wisdom and sense of justice.

Ganz Europa war höchst beunruhigt und sah dem Beginnen der drei immer mehr erzürnten Monarchen gespannt zu. Zutiefst besorgt war der Papst, denn die ganze Welt richtete jetzt den Blick auf ihn und erwartete, dass er doch Mittel und Wege finden würde, den Streit zu schlichten. Der päpstliche Hof wollte aber nicht direkt eingreifen, da er die Autorität des Heiligen Stuhls aus weltlichem Gezänk heraushalten wollte. Der Papst dachte lange nach und überlegte, wen er mit dieser Mission beauftragen sollte. Seine Wahl fiel endlich auf den König Polens, Kasimir III., der seinen Beinamen „der Große" seiner Weisheit und Gerechtigkeit verdankte.

Zawezwał więc do siebie papież polskiego władcę i rzekł mu: „Tobie powierzam rozsądzenie sporów. A władzę swą i wiedzę wykorzystaj najlepiej jak potrafisz, bo świat cały na ciebie liczy". Zastanawiał się król Kazimierz długo, jak by skłóconych panów do zgody przywieść. „Trzeba mi konceptu nie lada, który by wrogów w przyjaciół przemienił. Najlepiej będzie, jeśli zrobię ich krewnymi" – pomyślał. A że wnuczka polskiego króla piękną i posażną panną na wydaniu była, a i z królami węgierskim i austriackim spowinowacona, w nadziei na pogodzenie zwaśnionych stron zaproponował Kazimierz jej rękę cesarzowi.

The Pope summoned the Polish King and said: "I trust in you to resolve the dispute. Use your power and your knowledge as best you can, as the whole world is counting on you". King Casimir thought long and hard how to solve the problem. "One needs a great mind in order to turn enemies into friends. The best thing I can do is to bind them by family ties" – he said. And as his granddaughter was beautiful, wealthy and nubile, and also related by blood to Hungarian and Austrian royalty, the King offered her hand to the Emperor in the hope of reconciling the quarrelling monarchs.

Der Papst bestellte den polnischen Herrscher zu sich und sagte ihm: „Dir vertraue ich die Vermittlung im Streit an. Mach dir deine Macht und deine Weisheit, so gut du es kannst, zu Nutze. Die Welt setzt in dich große Hoffnung". So machte sich Kasimir Gedanken darüber, wie er die zerstrittenen Herren zur Einigung bringen sollte. „Da ist ein Konzept nötig, das Feinde in Freunde verwandeln könnte. Am besten, ich mache sie zu Verwandten", – dachte er. Und da die Enkelin des polnischen Königs ein schönes, reiches und schon heiratsfähiges Fräulein war, dazu mit dem König von Ungarn und dem Fürsten von Österreich verwandt, bot er in der Hoffnung auf eine gütliche Einigung der zerstrittenen Parteien dem Kaiser ihre Hand an.

Obejrzał cesarz portret młodej księżniczki i zadziwiła go jej niewinna uroda. A jako że i posag był niezgorszy, zdecydował się do Krakowa pojechać, aby miasto obejrzeć i oblubienicę poznać. Na miejscu chciał podjąć decyzję, czy na propozycję króla Kazimierza przystać. Zebrał cesarz swych najwierniejszych rycerzy i najpiękniejsze damy dworu, skrzynie zapełnił podarkami dla przyszłej narzeczonej i jej zacnego dziadka, po czym z tym bogatym orszakiem w podróż do Polski wyruszył.

The Emperor took a look at the portrait of the young princess and was astonished by her innocent beauty. And, as her dowry was not inconsiderable, he decided to visit Krakow and to make the acquaintance of the bride-to-be. Once there, his intention was to decide whether or not to accept King Casimir's proposal. The Emperor gathered his most faithful knights and most beautiful ladies of the court, filled several chests with gifts for the future bride and her honourable grandfather and set off for Poland with his rich cortege.

Der Kaiser sah sich das Bildnis der jungen Prinzessin an und war von ihrer keuschen Schönheit entzückt. Und da auch die Mitgift nicht die kleinste war, beschloss er nach Krakau zu kommen, um die Stadt zu sehen und die Braut kennen zu lernen. Er wollte sich vor Ort entscheiden, das Angebot Kasimirs anzunehmen oder es abzulehnen. So versammelte der Kaiser seine treuesten Ritter und die schönsten Hofdamen, füllte ganze Kisten mit Geschenken für die künftige Braut sowie für ihren ehrwürdigen Großvater und machte sich mit diesem prächtigen Gefolge auf den Weg nach Polen.

Po wielu dniach drogi dotarli wreszcie dostojni goście do bram Krakowa – polskiej stolicy. Sam cesarz, choć do przepychu przyzwyczajony, oczom własnym nie dawał wiary. Całe miasto bowiem kwiatami i wiwatami witało jego orszak. Położony nad brzegiem szeroko rozlanej Wisły Wawelski Zamek olśnił cesarza architekturą i wystrojem. Lecz najbardziej ze wszystkich cudów spodobała się młodemu władcy sama księżniczka, wnuczka króla Kazimierza.

After many days on the road, the distinguished guests reached the gates of Krakow, the capital of Poland. The Emperor himself, although quite used to splendour, could not believe his eyes as the entire city welcomed his cortege with flowers and cheering. Wawel Castle situated on the broad banks of the River Vistula enchanted the Emperor with its architecture and furnishings. But of all the miracles of the town the young monarch liked most the princess herself, granddaughter of King Casimir.

Nach einer langen Reise waren endlich die hohen Gäste an den Toren Krakaus, der polnischen Hauptstadt angelangt. Der Kaiser selbst, obwohl ja Überfluss und Prunk gewohnt, wollte seinen Augen kaum trauen. Die ganze Stadt begrüßte mit Blumen und Jubelrufen sein Gefolge. Das Wawelschloss, am Ufer der breit dahinströmenden Weichsel beeindruckte ihn durch seine Architektur und Ausstattung. Doch es war die Prinzessin selbst, die Enkelin Kasimirs, die ihm unter all den erstaunlichen Wundern am besten gefiel.

Ku czci przybyłych król Kazimierz na wawelskim dziedzińcu wielki turniej rycerski wyprawił. Najznamienitsi europejscy rycerze do Krakowa zjechali, by przed polskim królem i niemieckim cesarzem swój kunszt wojenny, a także rycerskie maniery i zwyczaje zaprezentować. Potykali się waleczni wojownicy nie szczędząc sił na miecze i na kopie, konno i pieszo, ku uciesze widzów i dla chwały swych herbów. Prócz gromkich wiwatów dostali zwycięzcy drogocenne nagrody, które im wspólnie cesarz Karol z księżniczką Elżbietą wręczali.

King Casimir arranged a great tournament in the courtyard of Wawel Castle in honour of his guests. The most distinguished knights from all over Europe made their way to Krakow to display their jousting skills as well as their chivalry in front of the German Emperor and the Polish King. To the delight of the spectators and for the honour of their coats of arms these brave warriors fought one another with all their might on horseback and on foot with swords and spears. And to the sound of loud cheering they received valuable prizes from the hands of Emperor Charles and Princess Elizabeth.

Zur Ehre der Gäste veranstaltete König Kasimir auf dem Schlosshof ein Ritterturnier. Die angesehensten europäischen Ritter trafen in Krakau zusammen, um in Gegenwart des polnischen Königs und des deutschen Kaisers ihren Wagemut und ihr kriegerisches Geschick sowie ihre feinen ritterlichen Sitten zeigen zu können. Da duellierten sich die tapferen Krieger unermüdlich, führten ihr Können im Lanzenstechen vor, kämpften mit Schwertern, zu Fuße und zu Pferde, zur Freude der Zuschauer und zur Ehre ihrer Häuser und Wappen. Außer lautem Beifall ernteten die Sieger kostbare Preise, die ihnen Kaiser Karl und Prinzessin Elisabeth gemeinsam überreichten.

Wkrótce też odbyły się zaślubiny cesarza z piękną Słowianką – córką księcia Bogusława i wnuczką po córce króla polskiego Kazimierza. Ceremonia ślubna w Katedrze Wawelskiej była uroczysta i długa. Mszę świętą w obecności królów, książąt, biskupów i panów celebrował sam arcybiskup gnieźnieński – Jarosław. Gości było tak wielu, iż w katedrze pomieścić się nie mogli, choć samych znaczniejszych zaproszono, a pod murami Wawelu zebrali się krakowscy mieszczanie, by się wraz z dostojnikami szczęściem nowo poślubionych i nadzieją pokoju cieszyć.

Soon the wedding of the Emperor to the beautiful Slavonic daughter of Prince Boguslav took place. King Casimir was her grandfather on her mother's side. The ceremony in Wawel Cathedral was long and solemn. Jaroslav, Archbishop of the ancient town of Gniezno, presided over the holy mass in the presence of kings, princes, bishops and lords. Although only the most distinguished guests had been invited, there were so many people that they could not all fit into the cathedral. And the citizens of Krakow gathered beneath the walls of Wawel Castle, wishing to share in the happiness of the newly wedded couple and rejoice at the prospect of peace.

Kurz darauf fand auch die Heirat des Kaisers mit der schönen Slawin, Tochter des Fürsten Boguslaus und Enkelin des polnischen Königs Kasimir IV. statt. Die Trauungszeremonie war feierlich und lang. Die Messe las in Gegenwart von Königen, Fürsten, Bischöfen und hohen Herren der Erzbischof von Gnesen – Jaroslaus. Es waren so viele Gäste dabei, dass nicht alle in den Dom hineinkommen konnten, obwohl nur die angesehensten eingeladen wurden. Und an den Schlossmauern versammelten sich Krakauer Bürger, um sich zusammen mit hohen Würdeträgern am Glück des Brautpaares und an der Hoffnung auf den Frieden mitzufreuen.

Weselną ucztę wyprawił król Kazimierz nie na Zamku Wawelskim, a w świetnym i z gościnności słynącym domu jednego z najznakomitszych krakowian – Mikołaja Wierzynka. Podano tam potrawy tak wystawne i trunki tak znakomite, że chociaż goście do największych luksusów byli przyzwyczajeni, nigdy podobnych nie próbowali i nie mogli się ich nachwalić. Wtedy, korzystając z doskonałego nastroju ucztujących, król Kazimierz głos zabrał: „Najmiłościwszy cesarzu i wy wielce szanowni goście! Miarkujcie tedy, że lepiej w przyjaźni się radować, niż w nienawiści smucić". Sam Wierzynek zaś słowa królewskie hojnym darem poparł i na pamiątkę zawarcia pokoju całą kosztowną zastawę stołową gościom podarował.

The wedding feast that King Casimir gave for his guests was not at Wawel Castle but in the magnificent and hospitable home of Mikołaj Wierzynek, one of the most distinguished citizens of Krakow. Such sumptuous dishes and exquisite drinks were served that although the guests were accustomed to great luxuries they had never tasted anything like this before and could not find the words to express their praise. This is when King Casimir, taking advantage of the excellent disposition of those at the feast, rose to his feet and said: "Most Gracious Emperor and honourable guests! Please bear in mind that it is better to rejoice in friendship than to dwell on hatred and grief". With a generous gift Wierzynek lent his support to the royal words and presented his guests with all the precious silverware to commemorate the sealing of peace.

Die Hochzeit hielt Kasimir aber nicht auf dem Wawelschloss ab, sondern in dem vornehmen und durch seine Gastfreundlichkeit weit bekannten Haus eines der angesehensten Krakauer Bürger, Nikolaus Wierzynek. Es wurden dort so köstliche und feine Speisen und so auserlesene Weine serviert, dass die Gäste, obwohl sie ja an Luxus gewöhnt waren, zugeben mussten, nie etwas Ähnliches genossen zu haben und das Essen nicht genug loben konnten. Dann, sich die ausgezeichnete Stimmung der Gäste zu Nutze machend, ergriff König Kasimir das Wort: „Eure kaiserliche Majestät, und Ihr, ehrwürdigen Gäste, seht doch, dass es besser ist, sich in Freundschaft gemeinsam zu freuen als in Feindschaft zu trauern". Und Wierzynek selbst bekräftigte die Worte des Königs mit einer großzügigen Gabe, indem er das gesamte kostbare Tafelgeschirr den Gästen schenkte.

Tak oto polski król Kazimierz III Wielki międzynarodowy spór zażegnał i wojnie zapobiegł. Uczta u Mikołaja Wierzynka została opisana przez dziejopisarzy całej Europy, zaś na kartach polskiej historii pozostała jako najsłynniejsza i najobfitsza, jaką kiedykolwiek w Krakowie wyprawiono. Po dziś dzień w Wierzynkowej kamienicy mieści się słynna na całą Polskę restauracja, którą – jak za czasów Kazimierza Wielkiego – liczne sławy odwiedzają.

This is how the Polish King, Casimir the Great, managed to avert an international conflict and prevent war. Historians from all over Europe described the royal feast at Wierzynek's in their works and it has gone down in Polish history as the most famous and abundant of its kind. To this very day Wierzynek's house is home to a restaurant renowned throughout Poland and visited by many famous people, just as in the times of King Casimir the Great.

So hatte der polnische König Kasimir III. den internationalen Streit geschlichtet und einen blutigen Krieg verhindert. Und das Gastmahl bei Nikolaus Wierzynek, von Geschichtsschreibern in ganz Europa beschrieben, ist in die Geschichte Polens eingegangen, und zwar als das berühmteste und opulenteste, das je in Krakau gehalten wurde. Bis heute befindet sich im Haus von Wierzynek das in ganz Polen berühmte Restaurant, das – wie zur Zeit Kasimirs – oft auch viele Berühmtheiten besuchen.

© Wydawnictwo Astra 2005

31-026 Kraków, ul. Radziwiłłowska 35/5
tel. (012) 292 07 30, tel./fax (012) 292 07 31
0602 747 012, 0602 256 638
www.astra.krakow.pl

ISBN 83-89981-03-3